1795

3

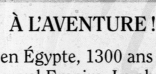

À L'AVENTURE !

Nous sommes en Égypte, 1300 ans avant notre ère,
à l'époque du Nouvel Empire. Le pharaon Toutan-Ho
et la reine Hatessouêt règnent depuis plusieurs années.
Le prince Amênhon est leur fils unique.
C'est lui qui dirigera le pays lorsque son père disparaîtra.
Phrénétic, le grand vizir, est un homme fourbe
qui rêve de s'emparer du pouvoir. Il est à la tête
d'un complot visant à évincer Amênhon en prouvant
qu'il n'est pas réellement l'héritier. Pour ce faire,
il a dérobé le papyrus sacré qui constitue
l'acte de naissance d'Amênhon. Le pharaon a aussitôt
été informé de cette conspiration et il vous a fait appeler.
Vous êtes Hénomis, la fille de la nourrice royale.
Vous avez été élevée avec le prince et vous êtes
sa meilleure amie. Toutan-Ho vous demande
de partir immédiatement à la recherche du papyrus sacré
et vous remet un scarabée d'émeraude.
Seuls les pharaons en possèdent. Cachez-le dans votre sac.
À chaque fois que cela sera nécessaire, il prouvera
que cette mission vous a été confiée par le roi en personne.
Vous devrez aussi retrouver les sept amulettes
qui se trouvaient avec le papyrus. Partout où vous irez,
vous serez accompagnée de votre inséparable Tashoon,
un magnifique chat égyptien.

Vous n'aurez jamais le droit de revenir en arrière
sauf si cela vous est demandé. Bonne chance !

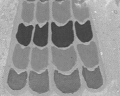

Texte original : Annie Pietri
Illustrations : Julien Delval
Secrétariat d'édition : Christophe Tranchant
© 2000 Éditions Gründ, Paris
ISBN : 2-7000-3754-5/Dépôt légal : août 2000
PAO : Tifinagh
Photogravure : Magie Bleue
Imprimé en France par Hérissey
Loi n° 49-956 du 16 juillet 1949
sur les publications destinées à la jeunesse

L'ÉGYPTE AUX 100 COMPLOTS

VIVEZ L'AVENTURE

TEXTE DE **ANNIE PIETRI**
ILLUSTRATIONS DE **JULIEN DELVAL**

GRÜND

5

Vous avez accepté cette mission. En rentrant chez vous, vous avez croisé un esclave de Phrénétic. Il vous a conseillé d'orienter vos recherches vers l'immense chantier de la tombe royale dont le pharaon a ordonné la construction dans la Vallée des Rois. Cet esclave a peut-être cherché à vous tromper en vous mettant sur une mauvaise piste… Mais s'il disait la vérité…

Avant de partir à l'aventure, trouvez quelques provisions à emporter car vos recherches pourraient bien vous conduire loin de chez vous. Pour l'instant, votre chat Tashoon dort tranquillement quelque part et ne se doute de rien. Dès que vous l'aurez aperçu, vous pourrez filer avec lui.

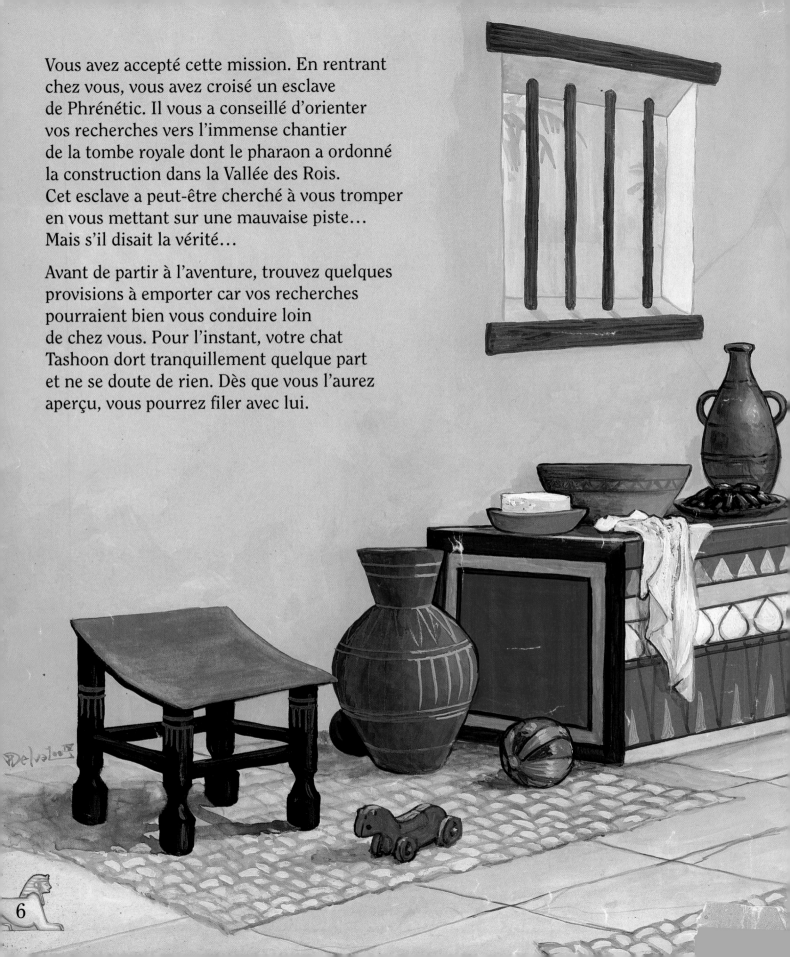

Et maintenant que faire ?

Si vous croyez ce que l'esclave vous a dit, partez en direction de la Vallée des Rois, page 14.

Si vous écoutez votre petite voix intérieure qui vous murmure d'aller chez l'embaumeur, courez page 12.

La lumière des torches danse
sur les parois de la salle
immense où vous entrez.
Vous vous arrêtez devant
une fresque qui représente
le pharaon Toutan-Ho
et la reine Hatessouêt.
Cette magnifique peinture
symbolise l'amour et le partage.
Observez bien ! À votre avis,
qu'ont-ils partagé ?

Avant de partir, regardez autour
de vous. Il y a peut-être un objet
que vous pourriez emporter…

Ensuite, la porte sur votre
gauche vous conduira page 22,
mais si vous décidez de partir
vers la droite, rendez-vous
page 16.

Au bord du Nil, la fin de la journée
est un moment magique. Assise au milieu
des papyrus, vous admirez le beau spectacle
de la vie du fleuve. Soudain, autour de vous,
des choses inhabituelles se produisent… Les voyez-vous ?

Tashoon, de son côté, a repéré un danger qui vous menace. Lequel ?

Quand vous aurez répondu à toutes ces questions,
vous déciderez peut-être de vous rendre au banquet, page 36.

Si vous préférez rentrer chez vous pour dormir, vous reprendrez
vos recherches dès l'aube, en allant directement page 20.

Et si Phrénétic avait fait dissimuler le papyrus sacré entre les bandelettes qui enveloppent une momie ? Dans ce cas, jamais personne ne pourrait le retrouver une fois le sarcophage déposé dans sa tombe. Voilà pourquoi vous êtes venue directement chez l'embaumeur. Montrez-lui le scarabée d'émeraude. Il vous laissera fouiller partout sans vous poser la moindre question. Il vous proposera même d'emporter une amulette, à condition que vous trouviez celle qu'il veut vous offrir. C'est la seule qui n'a pas son double.

Avant de poursuivre, arrêtez-vous page 24, chez Miligrâhm et Minibâh.

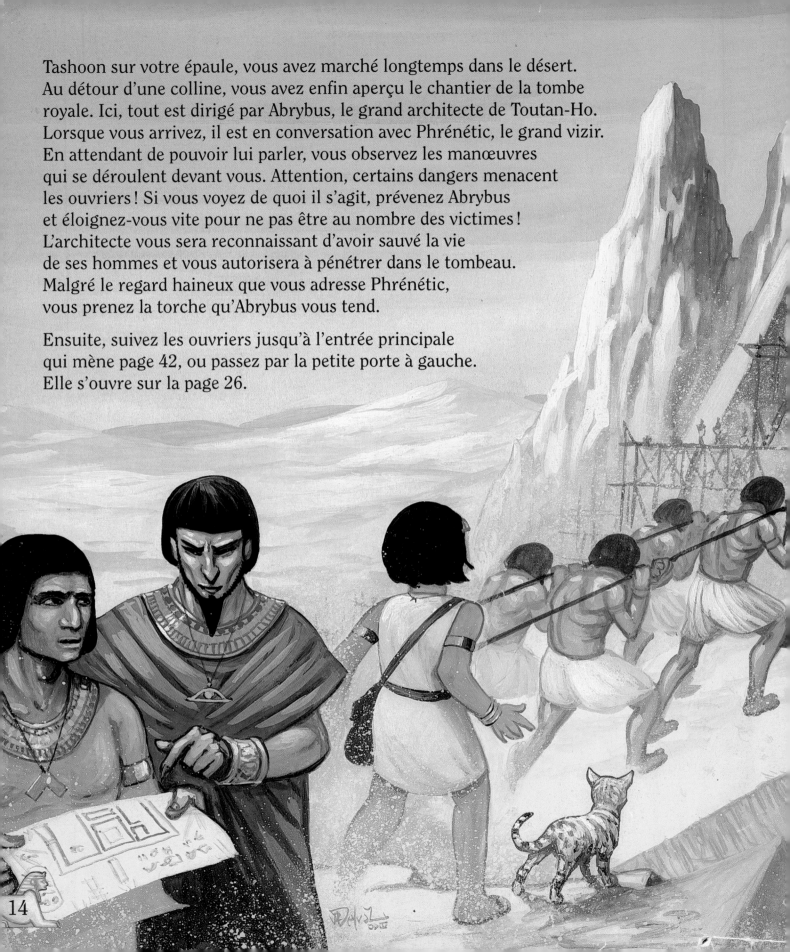

Tashoon sur votre épaule, vous avez marché longtemps dans le désert.
Au détour d'une colline, vous avez enfin aperçu le chantier de la tombe
royale. Ici, tout est dirigé par Abrybus, le grand architecte de Toutan-Ho.
Lorsque vous arrivez, il est en conversation avec Phrénétic, le grand vizir.
En attendant de pouvoir lui parler, vous observez les manœuvres
qui se déroulent devant vous. Attention, certains dangers menacent
les ouvriers ! Si vous voyez de quoi il s'agit, prévenez Abrybus
et éloignez-vous vite pour ne pas être au nombre des victimes !
L'architecte vous sera reconnaissant d'avoir sauvé la vie
de ses hommes et vous autorisera à pénétrer dans le tombeau.
Malgré le regard haineux que vous adresse Phrénétic,
vous prenez la torche qu'Abrybus vous tend.

Ensuite, suivez les ouvriers jusqu'à l'entrée principale
qui mène page 42, ou passez par la petite porte à gauche.
Elle s'ouvre sur la page 26.

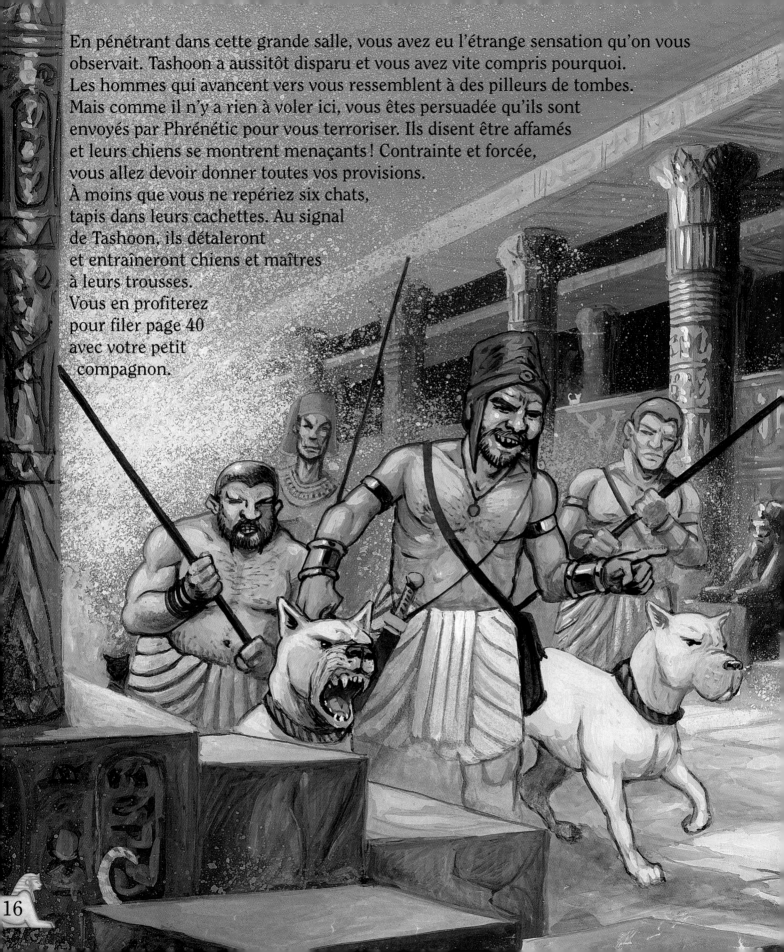

En pénétrant dans cette grande salle, vous avez eu l'étrange sensation qu'on vous observait. Tashoon a aussitôt disparu et vous avez vite compris pourquoi. Les hommes qui avancent vers vous ressemblent à des pilleurs de tombes. Mais comme il n'y a rien à voler ici, vous êtes persuadée qu'ils sont envoyés par Phrénétic pour vous terroriser. Ils disent être affamés et leurs chiens se montrent menaçants ! Contrainte et forcée, vous allez devoir donner toutes vos provisions.
À moins que vous ne repériez six chats, tapis dans leurs cachettes. Au signal de Tashoon, ils détaleront et entraîneront chiens et maîtres à leurs trousses.
Vous en profiterez pour filer page 40 avec votre petit compagnon.

Sans bruit, vous entrez dans la chambre de la reine Hatessouêt, occupée à l'essayage de la parure qu'elle portera ce soir, lors du banquet. Ses yeux inquiets vont du miroir au modèle. La reine ne tolérera pas plus de trois erreurs. Par malheur, Asdepik, son tailleur, en a commis sept. Repérez-les, puis essayez de trouver dans la pièce les accessoires qui pourront ramener le nombre d'erreurs à trois. Si vous y parvenez, Asdepik n'aura plus qu'à faire quelques retouches et la robe sera prête à temps. Vous en profiterez pour regarder s'il n'y a pas une amulette que vous puissiez emporter.

Pour vous récompenser, la reine vous fera accompagner page 32 où son scribe vous remettra une invitation pour le banquet.

Si vous préférez malgré tout poursuivre vos recherches en direction de la tombe royale, dirigez-vous vers la page 14.

19

Phibroptik, le chef des espions de Phrénétic,
est furieux de voir que vous approchez du but.
Si vous avez déchiffré le message secret
que vous a remis le scribe, allez à sa rencontre.
Dans le cas contraire, retournez page 7.

Pour vous empêcher d'aller plus loin,
l'espion décide de vous mettre à l'épreuve.

– La consigne est simple, Hénomis, vous dit-il.
Ces quatre bâtonnets forment une sorte de pelle.
En déplaçant seulement deux d'entre eux,
tu dois redessiner la pelle pour que l'amulette
qui est à l'intérieur se retrouve à l'extérieur.
Si tu parviens à résoudre cette énigme,
tu pourras garder l'amulette et je te laisserai
avancer jusqu'à la salle suivante. Sinon,
je me ferai une joie de te ramener chez toi…

Si vous réussissez,
filez sans attendre page 28.

Sinon, en désespoir de cause,
vous pourrez montrer
à Phibroptik le scarabée
d'émeraude du pharaon.
En le voyant, il s'inclinera,
vous donnera l'amulette
et vous laissera passer
pour rejoindre
la page 28.

Vous voici presque arrivée au cœur du tombeau.
Le rai de lumière qui filtre à travers la galerie
d'aération vient éclairer une étrange coquille
d'escargot dessinée sur le sol. Tout d'abord,
vous pensez qu'il s'agit du passe-temps favori
des enfants de votre âge, le jeu du serpent.
À bien y regarder, vous découvrez qu'il n'en est rien.
Soudain une voix résonne, reconnaissable entre mille.
C'est Phibroptik, le chef des espions de Phrénétic !

– Comme tu peux le voir, ces deux spirales sont
enroulées ensemble et couvertes de hiéroglyphes…
Mais attention Hénomis, pas dans n'importe quel ordre !
Observe bien et trouve le dessin manquant à l'extrémité
de chacune d'elle. Si les deux cases sont complétées
par des signes identiques, tu retourneras au palais, page 18.
S'ils sont différents, je t'ordonne d'aller page 16.

Ne vous laissez pas impressionner et réfléchissez bien !

23

24

Vous êtes un peu déçue de ne pas avoir trouvé le papyrus chez l'embaumeur.
Avant de choisir une nouvelle route, vous vous attardez devant l'échoppe du potier.
Cet artisan a deux filles, Miligrâhm et Minibâh. Ce sont les musiciennes préférées
de Toutan-Ho. Bien qu'elles soient vos amies, vous n'osez pas entrer de peur
de les déranger. Aujourd'hui, leur père a décidé de les peindre sur un grand vase
pour immortaliser leur beauté ! Outre leur étonnante ressemblance, deux détails
montrent qu'elles sont jumelles. Amusez-vous à les trouver ! Ensuite, après avoir
repéré leurs six instruments de musique, vous pourrez aller au temple, page 44,
ou dans la Vallée des Rois, page 14.

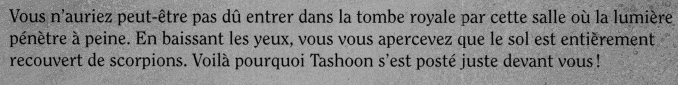

Vous n'auriez peut-être pas dû entrer dans la tombe royale par cette salle où la lumière pénètre à peine. En baissant les yeux, vous vous apercevez que le sol est entièrement recouvert de scorpions. Voilà pourquoi Tashoon s'est posté juste devant vous !

De peur, vous laissez tomber votre torche qui s'éteint aussitôt. Si vous voulez poursuivre vos recherches dans le tombeau, il va falloir traverser la pièce en marchant sur les objets qui jonchent le sol. Attention ! Choisissez bien votre itinéraire car certains d'entre eux sont bancals et vous risquez de perdre l'équilibre.

Si vous réussissez, la page 22 vous attend. Si cette épreuve est au-dessus de vos forces, retournez page 7 et recommencez par un autre chemin.

Si vous pensiez en avoir fini avec les émotions fortes, vous vous trompiez ! En face de vous se tient Phrénétic en personne. Soudain sa voix percute les murs de cette grande salle et ses sinistres paroles rebondissent jusqu'à vos oreilles. Il menace de vous faire piétiner par les hippopotames du Nil si vous ne retrouvez pas sur la fresque, au moins six éléments de la légende d'Anubis. Si vous n'êtes pas encore passée par le temple pour rendre visite à Houssa-Noumhêne, vous aurez bien du mal à répondre…

Même si vous triomphez de cette épreuve, vous ne pourrez entrer page 30 qu'en possession des sept amulettes que le pharaon attend.

S'il vous en manque, revenez page 7 et continuez à chercher…

Au cœur de la tombe royale,
dans la future chambre funéraire,
vous avez eu la surprise de voir
le pharaon dictant ses ordres
à Abrybus. Vous avez marché
à sa rencontre et vous lui avez
remis les sept amulettes.
Vous lui avez aussi révélé
ce que le message secret
vous a appris, et c'est ensemble
que vous avez sorti le papyrus
dérobé de sa cachette. Le pharaon
est très ému lorsqu'il s'adresse
à vous :

– Moi, Toutan-Ho, roi d'Égypte,
fils du soleil et dieu Horus sur Terre,
je peux, par ma seule volonté,
corriger les inégalités de la naissance.
Puisque tu as sauvé le trône
de mon fils unique Amênhon,
je te considère à partir d'aujourd'hui
comme ma propre fille. Celle que
tous appelleront désormais
la princesse Hénomis !

Vous êtes si reconnaissante envers
le pharaon que vous l'embrasseriez
volontiers. Toutefois, vous savez
que cela est impossible car sa personne
est sacrée. Nul ne peut le toucher
sans être jeté en pâture aux crocodiles.

Vous êtes fière d'avoir rempli votre mission
mais avant de rentrer au palais avec Tashoon,
observez ces voleurs que les gardes ont capturés
sur le chantier. Ils se prosternent devant
Toutan-Ho, espérant la clémence royale.
          Mais, l'un d'eux risque beaucoup plus
          que le bagne… Voyez-vous lequel ?

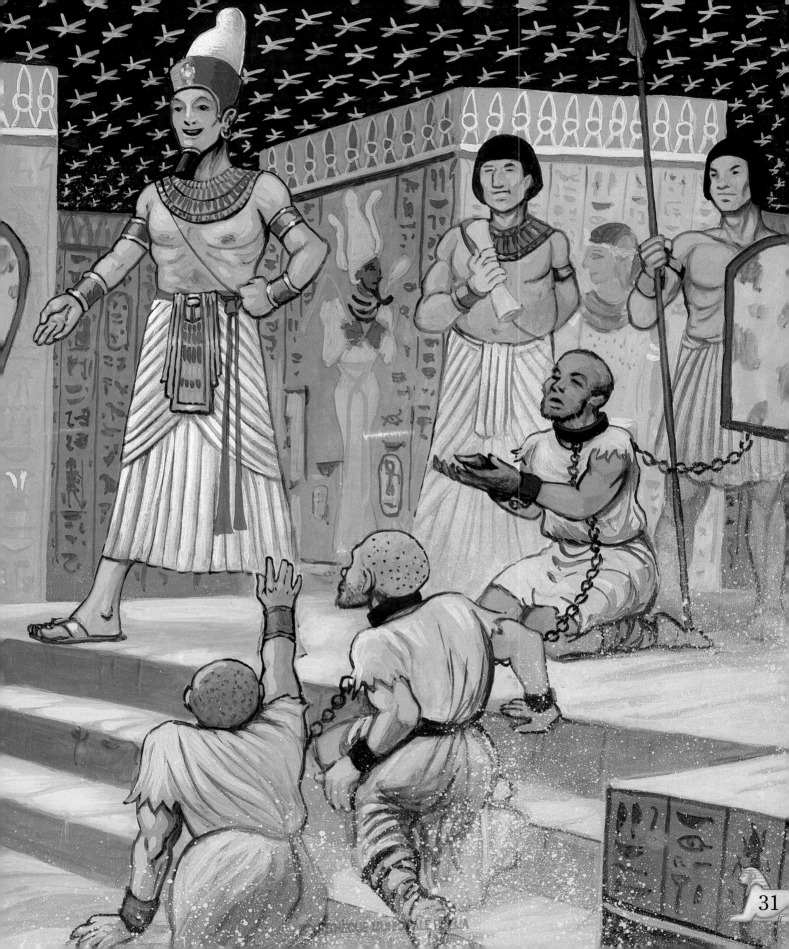

Ahêmodis, le scribe personnel de la reine, vous a accueillie avec bienveillance et vous a remis votre invitation pour le banquet. En déroulant le papyrus, vous avez découvert une autre feuille sur laquelle rien n'apparaît. S'agirait-il d'un message secret rédigé avec un liquide invisible ? Cherchez bien. Si vous trouvez avec quoi Ahêmodis a écrit, vous trouverez aussi le moyen de faire apparaître le texte. Tashoon a peut-être trouvé un indice !

Regardez également s'il n'y a pas une amulette cachée quelque part…

Pour déchiffrer immédiatement le message, tournez la page.

Si vous pensez que cela peut attendre, rangez la feuille et dirigez-vous page 10.

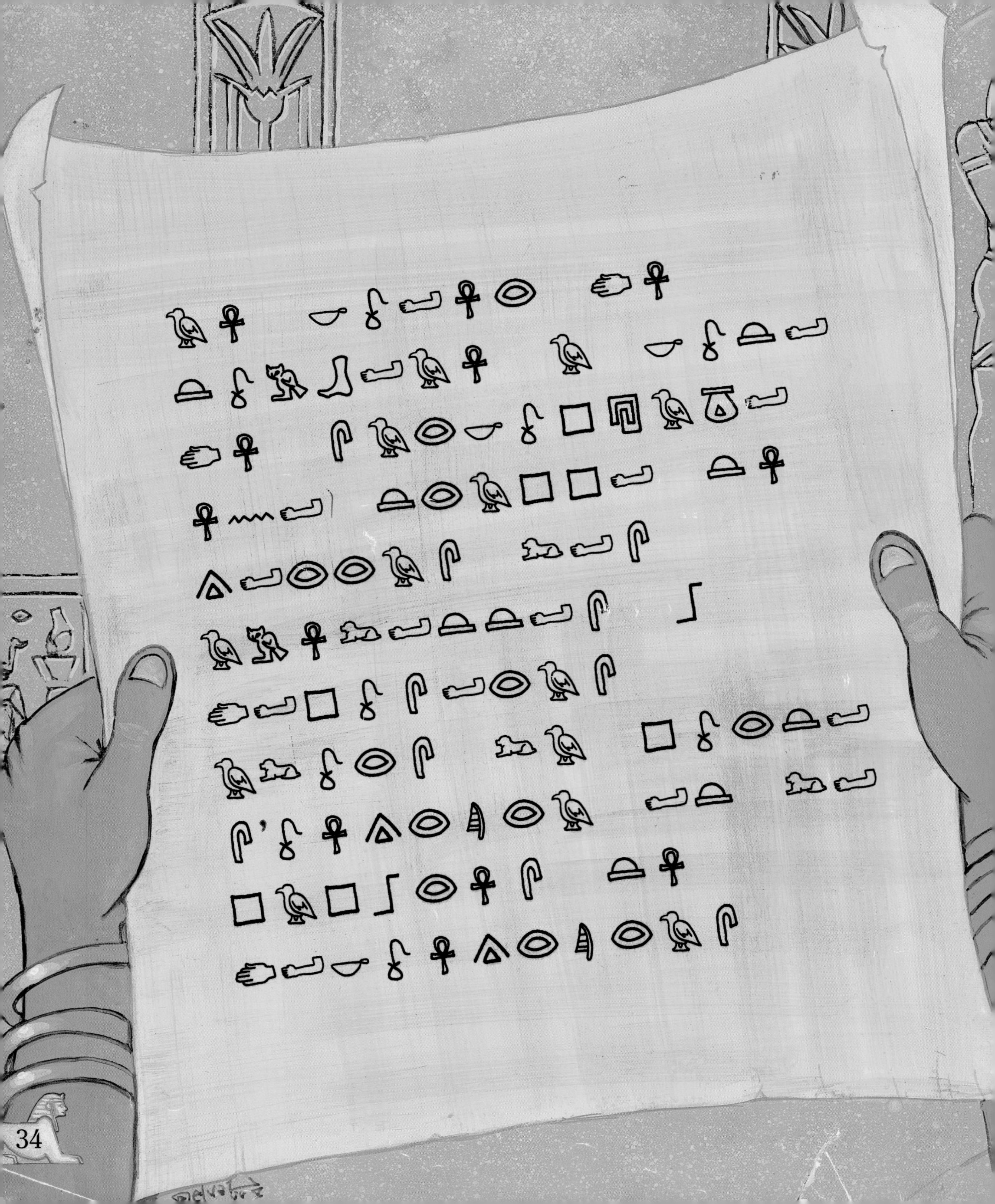

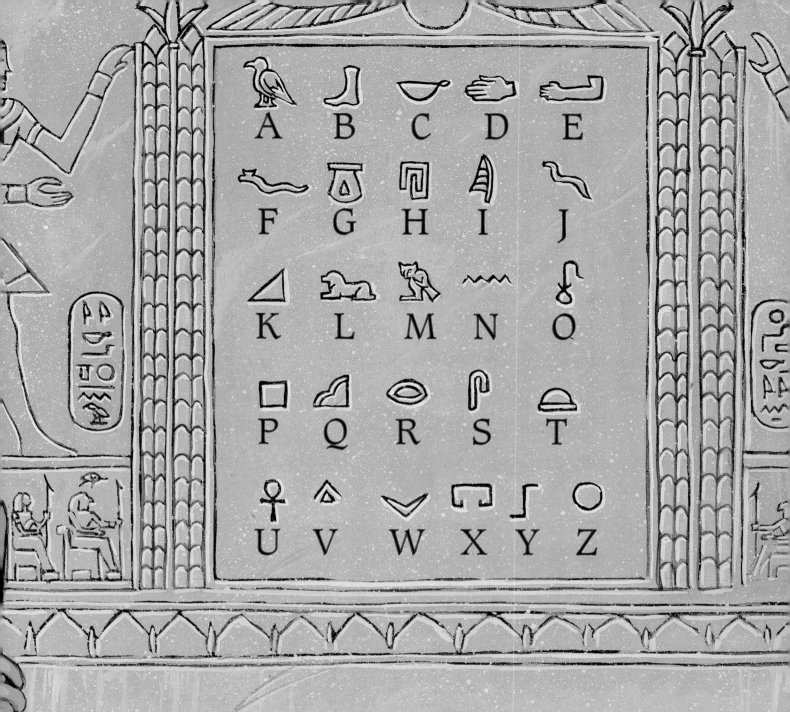

En Égypte, c'est le scribe qui choisit, selon son humeur, d'écrire dans un sens ou dans l'autre. Pour commencer, vous devrez déterminer le sens de lecture. N'oubliez pas que l'on doit toujours aller à la rencontre des personnages.

Ensuite, à l'aide de l'alphabet hiéroglyphique, vous pourrez déchiffrer ce message. Il vous réserve sûrement des surprises…

Mettez-vous au travail et rendez-vous page 20 dès que vous aurez terminé.

Toutan-Ho et Hatessouêt accueillent les convives qui arrivent par petits groupes. Phrénétic, le grand vizir, est dans la salle du banquet où six de ses espions rôdent parmi les invités et les domestiques. Comme leur maître, ils portent tous le même signe distinctif. Pour mieux les éviter, hâtez-vous de les repérer. En observant la foule, vous remarquez que deux femmes ne portent pas l'accessoire indispensable à ce genre de soirée. Lequel?

Toutes ces émotions vous ont sûrement donné faim! Si vous goûtez les mets savoureux que cette jeune esclave vous propose, tournez la page.

Si vous préférez dîner chez vous, retournez page 7. Vous en profiterez pour recommencer par un autre chemin.

Cette esclave était une espionne à la solde de Phrénétic !
Vous n'auriez pas dû goûter aux plats appétissants
qu'elle vous proposait. C'était un piège ! Vous voilà maintenant
sous l'emprise d'un philtre maléfique qui vous plonge dans
un sommeil artificiel peuplé de rêves effrayants. Seule dans le désert,
vous êtes au bord d'une falaise… Devant vous, une horde d'animaux
féroces vous pousse vers le précipice… Hélas, dans votre délire,
vous ne voyez aucun moyen de vous enfuir. La situation semble désespérée…
Mais vous réalisez que, parmi les animaux du désert qui vous terrorisent,
certains sont inoffensifs. Trouvez de quel côté il serait possible de vous échapper,
sinon vous resterez à jamais prisonnière de votre rêve.

Si vous réussissez, revenez page 7 et recommencez une nouvelle aventure.

Dans votre précipitation à fuir les hommes de Phrénétic, vous avez buté contre des gravats et vous êtes tombée. Votre genou est très douloureux et vous avez décidé d'interrompre vos recherches pour l'instant. Le médecin du chantier a appliqué sur la blessure un emplâtre à base de feuilles de saule, de viande fraîche, de graisse et de miel. Pour une bonne cicatrisation, vous devrez le garder pendant deux jours. Bien sûr, pas question de marcher ! Alors, choisissez vous-même, parmi les aides du médecin, les deux hommes qui porteront votre brancard jusqu'à la page 7. Tashoon ne veut apparemment pas quitter son refuge. Il faudra donc demander à quelqu'un d'aller le chercher à votre place. Là encore, vous devrez choisir la bonne personne.

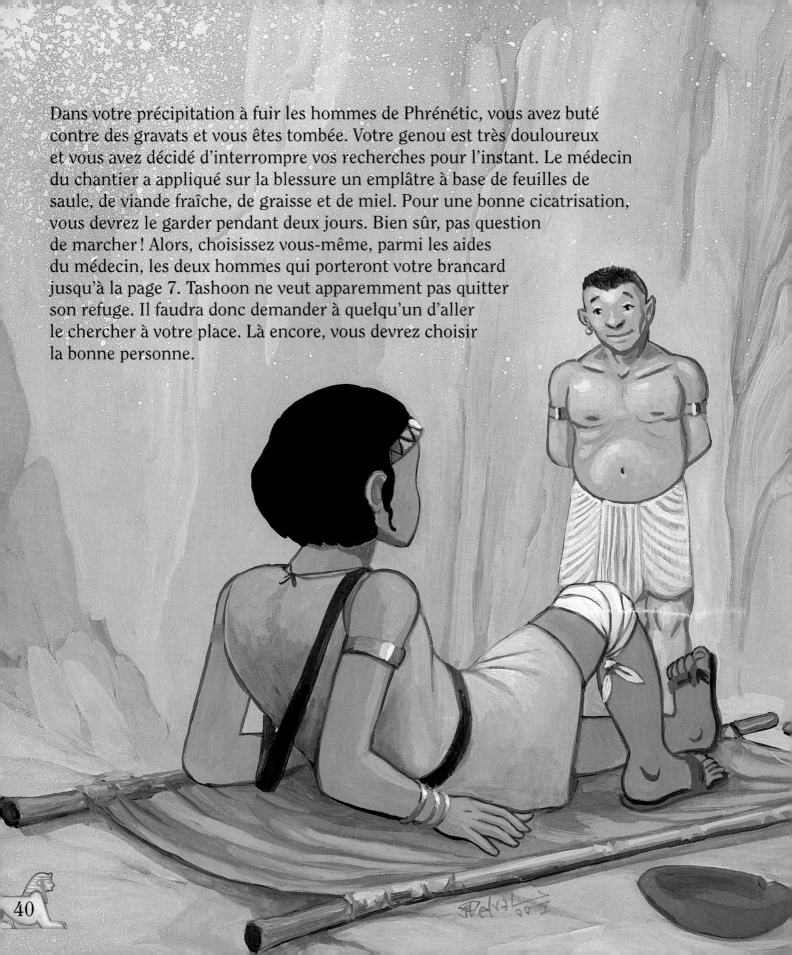

Votre torche
est sur le point
de s'éteindre alors que
vous arrivez dans une salle très encombrée.
Profitez de ses dernières lueurs pour chercher la seule chose
que vous avez oublié d'emporter : de l'eau ! Seules les jarres en nombre
impair en contiennent. Après votre longue marche dans le désert, vous êtes assoiffée.
Faites vite, il ne vous reste que peu de temps… En cherchant bien, vous découvrirez
aussi quelque chose de très désaltérant que vous pourrez glisser dans votre sac.

Avant de partir, trouvez un récipient pour donner à boire à Tashoon et regardez
également si une amulette n'aurait pas été abandonnée dans cette pièce…

Ensuite, dirigez-vous vers l'un des deux passages que vous voyez. Le plus haut
vous mènera page 8 et le plus bas, page 22.

Comme s'il attendait votre venue, Houssa-Noumhêne, le grand prêtre, a déjà consulté les oracles. Malheureusement, ils ne vous sont pas favorables. Mais, Houssa-Noumhêne est un vieil homme généreux et il a décidé de vous aider.

– Hénomis, je vais te raconter comment, à l'aide d'une balance, Anubis, le dieu à tête de chacal, aide Osiris à rendre son jugement. Lorsqu'un défunt comparaît devant le tribunal des dieux, Anubis dépose son cœur, enfermé dans un vase, sur l'un des plateaux de la balance. Sur l'autre plateau se trouve une plume. Si le cœur est aussi léger que la plume, le défunt accède à la vie éternelle. S'il est plus lourd, le cœur est jugé impur. Il est aussitôt avalé par Ammout, la Grande Dévoreuse. Regarde bien ce papyrus qui la représente et dis-moi de quels animaux est composé ce monstre. Si tu réussis, tu pourras emporter cette amulette… Souviens-toi bien de tous les détails de cette histoire et pars immédiatement en direction de la page 14.